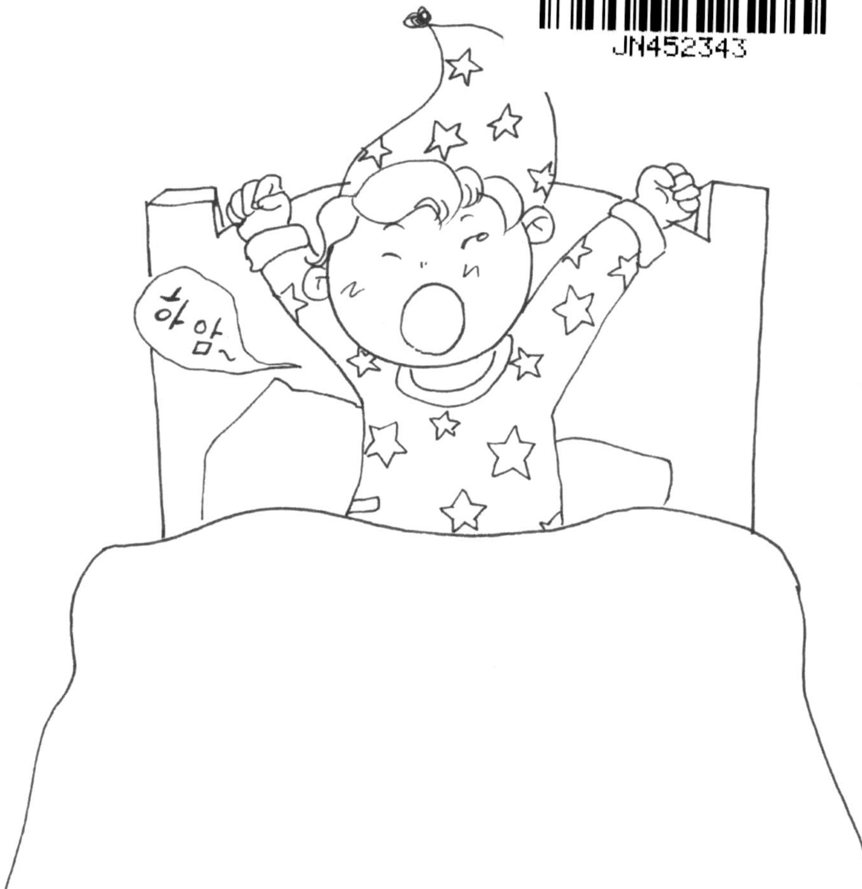

아침이에요.

나는 바지를 입고,
티셔츠를 입어요.

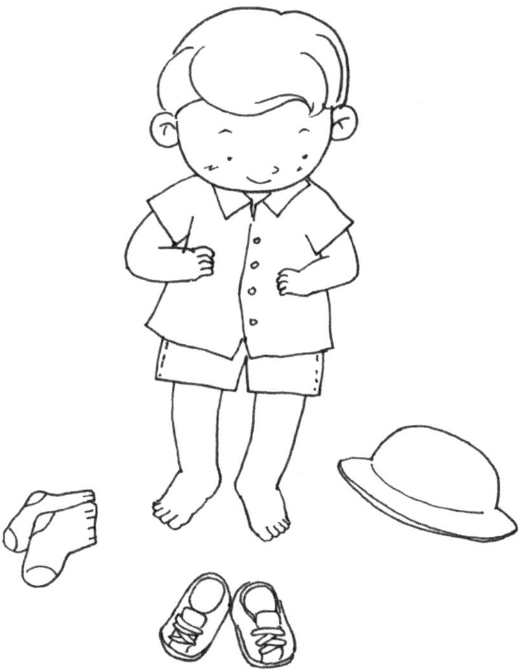

양말을 신고, 모자를 써요.

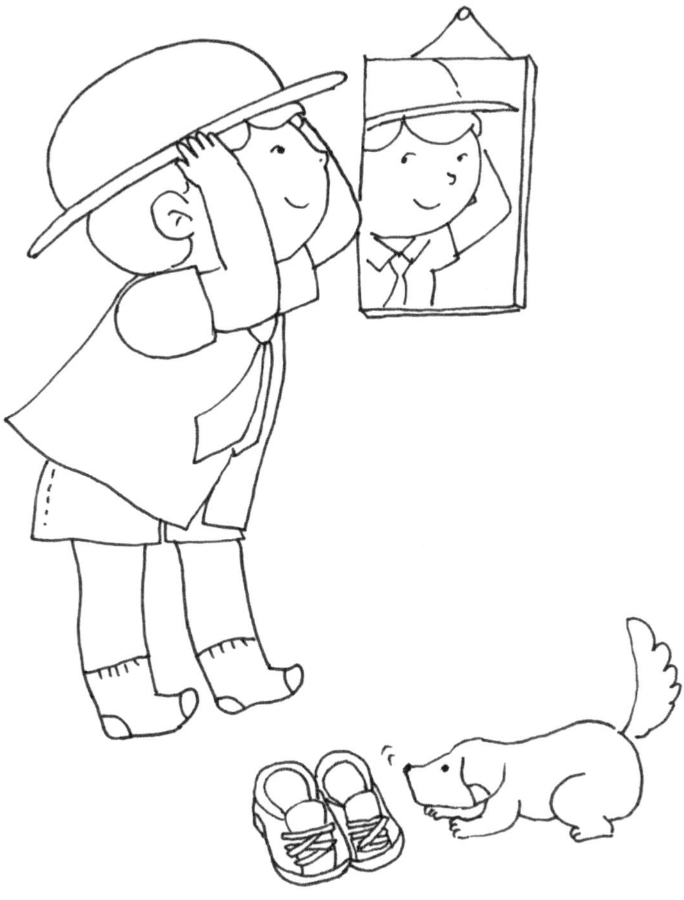

그리고
신발을 신어야 하는데…….

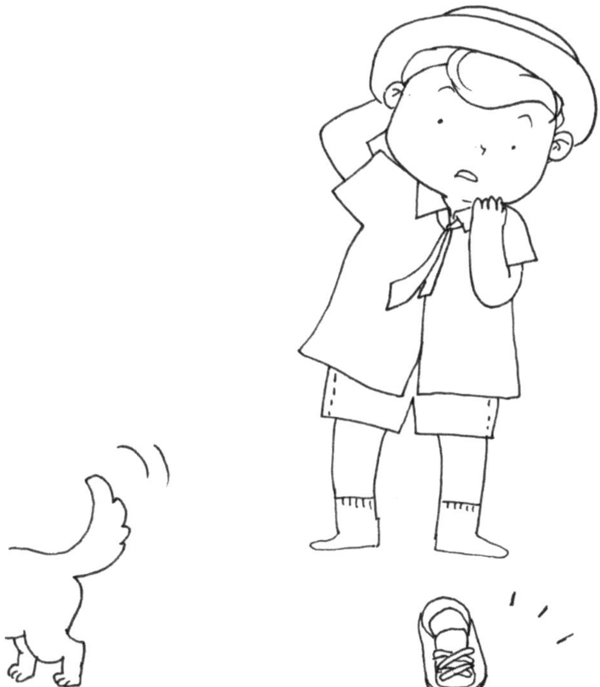

어, 내 신발 한 짝
어디 갔지?

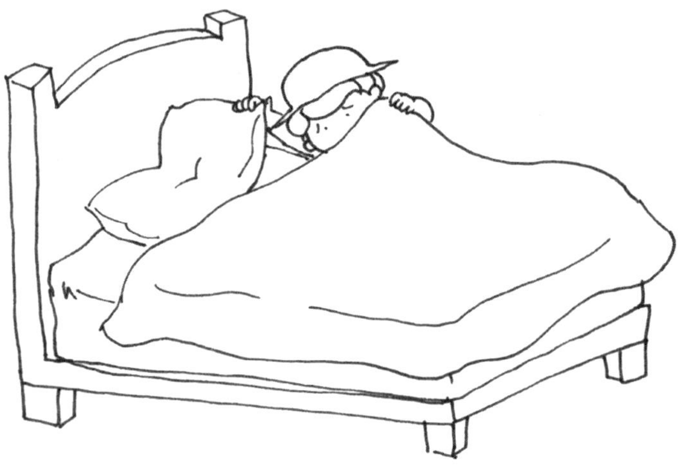